I0626562

Des pensées pour aimer

Auteur : Collectif, sous la direction de Karole Lauzier
Illustrations : Art Explosion
Conception graphique et mise en pages : Les Éditions Lauzier, Inc.
Graphisme de la couverture : Christian Campana
Révision linguistique : Johanne Forget et Johane Lajeunesse

Les Éditions Lauzier, Inc.
editionslauzier@videotron.ca
Tél.: (450) 627-4093 - Téléc.: (450) 627-0204

Gouvernement du Québec - Programme de crédit d'impôt pour l'édition de livres - Gestion SODEC

ISBN 2-89573-051-2
Des pensées pour aimer

Dépôt légal: 1er trimestre 2005
Bibliothèque nationale du Québec
Bibliothèque nationale du Canada

Collectif

Des pensées pour aimer

Avant-propos

Une pensée pour l'amour!

J'ai toujours cru qu'il était bénéfique de prendre quelques minutes, à chaque jour, pour faire le point sur la journée et méditer sur une pensée; faire abstraction du travail, de la famille et de toute autre chose...

Ce livre est dédié à tous ceux et celles qui ont toujours su que la philosophie avait une quelconque utilité, une valeur spirituelle, qui nous permette de nous laisser aller, de décompresser.

«Des pensées pour aimer» est un recueil de pensées, d'idées, de maximes et de proverbes soigneusement choisis qui, je l'espère, seront pour vous une invitation à l'amour, une occasion de décrocher du quotidien et d'entrer dans le monde spirituel de ces penseurs.

Alors que vous poserez votre tête sur l'oreiller et lirez la pensée du jour, laissez-vous aller, relaxez et... puissent les bénéfices de ces quelques mots se manifester à chaque nuit, à chaque jour, pour chacun d'entre vous.

L'éditeur

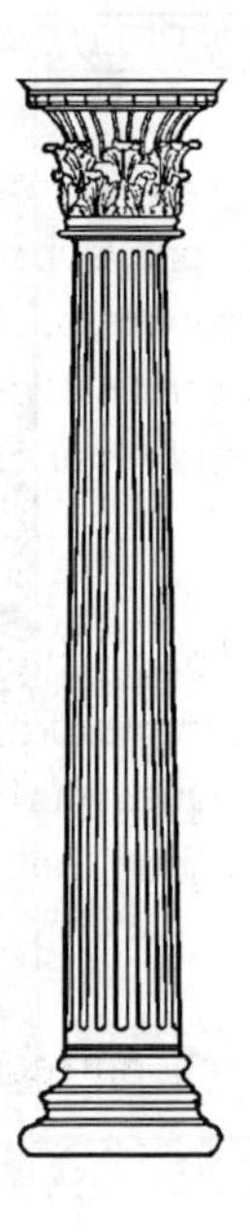

Janvier

1er janvier

Si vous voulez
qu'on vous écoute,
prenez le temps
d'écouter.

- Marge Piercy

2 janvier

Aimer, ce n'est pas
se regarder l'un l'autre,
c'est regarder ensemble
dans la même
direction.

\- Antoine de Saint-Exupéry

3 janvier

Il faut aimer
n'importe qui,
n'importe quoi,
n'importe comment,
pourvu qu'on
aime.

- Alexandre Dumas, fils

4 janvier

Nous réalisons
que nos actions ne sont
qu'une goutte dans l'océan.
Mais cet océan serait
moindre sans cette
goutte.

- Mère Thérésa

5 janvier

Il m'a fait trop de bien
pour en dire du mal,
Il m'a fait trop de mal
pour en dire du bien.

- Corneille

6 janvier

*Ton sourire
est ton passeport
pour pénétrer dans
le cœur des autres.*

\- Proverbe chinois

7 janvier

L'amour n'est rien d'autre que la suprême poésie de la nature.

- Novalis

8 janvier

Si l'on bâtissait
la maison du bonheur,
la plus grande pièce
serait la salle
d'attente.

- Jules Renard

9 janvier

Dans ce monde,
il faut être un peu
trop bon pour
l'être assez.

- Marivaux

10 janvier

Suis ton rêve...
Un jour à la fois et
ne transige pas pour
moins, continue ton
ascension.

- Amanda Bradley

11 janvier

Il y a un temps
pour le travail et
un temps pour l'amour.
Cela ne laisse pas de
temps pour autre chose.

- Coco Chanel

12 janvier

La vie
est trop courte
pour être
petite.

- Benjamin Disraeli

13 janvier

On rencontre
sa destinée souvent
par des chemins
qu'on prend pour
l'éviter.

- Jean de La Fontaine

14 janvier

Aucun cœur
n'a jamais souffert
alors qu'il était
à la poursuite
de ses rêves.

- Paulo Coelho

15 janvier

Le plaisir
de la critique
nous ôte celui d'être
vivement touché de
très belles choses.

- Jean de La Bruyère

16 janvier

Le cœur
a ses raisons
que la raison
ne connaît
point.

- Pascal

17 janvier

À quoi te sert
de conquérir le monde
si tu perds ta
femme?

\- Jérôme

18 janvier

Comme un feu oublié,
une enfance peut
toujours s'enflammer
de nouveau en nous.

- Gaston Bachelard

19 janvier

Hier n'existe plus.
Demain ne viendra
peut-être jamais.
Il n'y a que le miracle
du moment présent.
Savourez-le.
C'est un cadeau.

- Marie Stilkind

20 janvier

Les grandes pensées viennent du cœur.

\- Vauvenargues

21 janvier

Chaque ami représente
un monde en lui-même,
un monde qui n'était
peut-être pas né avant
qu'il n'arrive et qui
ne peut naître que
par cette rencontre.

- Anaïs Nin

22 janvier

*Plus on laisse
entrer de la lumière
dans sa vie,
plus notre monde
semble brillant.*

- Shakti Gawain

23 janvier

Si paix doit se faire,
elle se fera par l'être
et non par l'avoir.

- Henry Miller

24 janvier

Il existe deux
façons de vivre sa vie.
L'une est de prétendre que
rien ne tient du miracle.
L'autre, c'est de voir
un miracle en tout.

- Albert Einstein

25 janvier

Il n'en tient qu'à vous d'illuminer la terre.

- Philippe Vensier

26 janvier

L'amitié envers soi
est la plus importante,
parce que sans elle,
l'on ne peut être l'ami
d'aucune autre personne
au monde.

- Eleanor Roosevelt

27 janvier

On ne voit bien
qu'avec le cœur;
l'essentiel est invisible
pour les yeux.

- Antoine de Saint-Exupéry

28 janvier

Il n'est rien
de plus fort au monde
que la douceur.

- Han Suyin

29 janvier

Ce que je fais
aujourd'hui est
important parce que
j'y accorde une journée
de ma vie.

- Hugh Mulligan

30 janvier

L'amour fait
passer le temps
et le temps fait
passer l'amour.

- Anonyme

31 janvier

Il y a l'amour...
Et puis il y a la vie,
son ennemie.

- Jean Anouilh

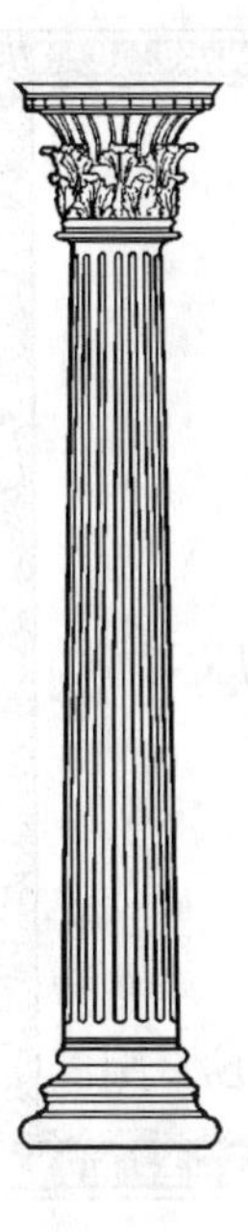

Février

1er février

L'amour est
la seule passion
qui ne souffre ni passé
ni avenir.

- Honoré de Balzac

2 février

Ce qu'il y a
d'ennuyeux dans l'amour,
c'est que c'est un crime
où l'on ne peut pas
se passer d'un complice.

- Charles Baudelaire

3 février

C'est vraiment difficile de dire aux gens qu'on les aime... quand on les aime vraiment.

- Paul Bernard

4 février

Aimer, c'est...
échapper par un seul
être à la médiocrité
de tous les autres.

- Abel Bonnard

5 février

Aimer et être
aimé c'est l'idéal.
Pourvu qu'il s'agisse
de la même personne.

- Jean Cocteau

6 février

L'amour se
suffit à lui-même!
Et moi, je pense
que rien ne suffit
à l'amour !

- Paul Claudel

7 février

La pire
des souffrances est
celle de ne plus
pouvoir aimer.

\- Dostoïevski

8 février

L'amour est un art qui demande créativité et effort. Il ne saurait se réduire à une sensation agréable, dont l'expérience est affaire de hasard.

- Erich Fromm

9 février

*Sans imagination,
l'amour n'a aucune
chance.*

– Romain Gary

10 février

Car l'on sait bien
que l'amour ignore
toujours sa propre
profondeur jusqu'au
jour des adieux.

- Khalil Gibran

11 février

Aimer ce n'est
pas tant d'attendre
quoi que ce soit de l'autre
que de consentir à
lui donner ce qu'on
a de meilleur.

- Germaine Guèvremont

12 février

Le monde serait
plus paisible si nous
consacrions notre énergie
à détruire les clôtures
plutôt qu'à les ériger.

- Dr Gérard Jampolsky

13 février

On ne devient pas amoureux en dénichant la personne parfaite, mais en apprenant à connaître parfaitement quelqu'un d'imparfait.

- Sam Keen

14 février

Tout l'univers
obéit à l'Amour;
Aimez, aimez,
tout le reste
n'est rien.

- Jean de Lafontaine

15 février

Ceux qui
aiment ont toujours
raison.

- Dany Laferrière

16 février

L'amour n'est pas posé
là, comme une pierre;
il doit être fait, façonné,
pétri comme du pain,
refait tout le temps,
fait à neuf.

- Ursula Le Guin

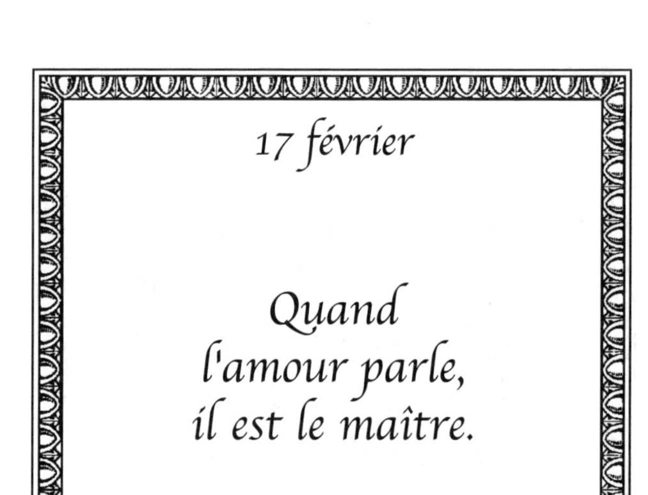

17 février

Quand
l'amour parle,
il est le maître.

\- Marivaux

18 février

Les rendez-vous mémorables sont clandestins.

\- Félix Leclerc

19 février

Être aimé, c'est se
consumer dans la flamme.
Aimer, c'est luire d'une
lumière inépuisable.
Être aimé, c'est passé;
aimer, c'est durer.

- Rainer Maria Rilke

20 février

Le monde
a soif d'amour;
tu viendras
l'apaiser.

- Arthur Rimbaud

21 février

On peut faire
beaucoup avec la haine,
mais encore plus
avec l'amour.

- William Shakespeare

22 février

Le secret du bonheur
en amour, ce n'est pas
d'être aveugle mais
de savoir fermer les yeux
quand il le faut.

- Simone Signoret

23 février

*...le pire n'est pas
de ne pas être aimé, de
ne pas pouvoir être aimé;
le pire est de ne pas
pouvoir aimer.*

- Miguel de Unamuno

24 février

L'espoir voit
un défaut de
la cuirasse
des choses.

- Paul Valéry

25 février

Chaque graine
d'amour que l'on sème
fait mourir l'herbe
de la haine qui pousse
autour de nous.

- Pierre Trépanier

26 février

*Si à travers
ta passion, ton cœur
prend son rythme,
tes pas avanceront en
harmonie avec la vie.*

- Susan L. Baril

27 février

Seul mérite
l'amour et la vie
celui qui
quotidiennement
doit les conquérir.

- J. W. Von Goethe

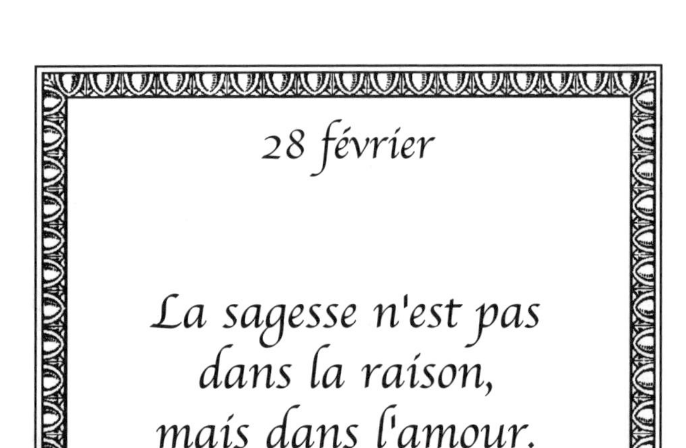

28 février

La sagesse n'est pas
dans la raison,
mais dans l'amour.

- André Gide

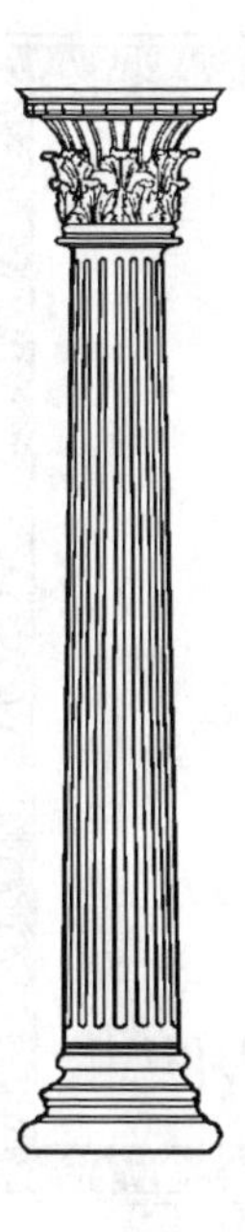

Mars

1er mars

La tendresse
est la mémoire
de l'amour.

- Pierre Bourgault

2 mars

*Aimer une personne
pour son apparence,
c'est comme aimer
un livre pour
sa reliure.*

- Laure Conan

3 mars

Pourquoi faudrait-il aimer rarement pour aimer beaucoup?

\- Albert Camus

4 mars

Si vous ne
vous aimez pas,
comment pourriez-vous
comprendre qu'un autre
puisse vous aimer?

- Catherine Bensaid

5 mars

L'amour
a besoin de la mémoire
pour s'approfondir
et durer.

- Hubert Aquin

6 mars

En amour,
les mendiants
et les rois
sont égaux.

- Anonyme

7 mars

Le monde est rempli
de gens qui recherchent
un bonheur spectaculaire
alors même qu'ils snobent
le contentement.

- Doug Larson

8 mars

Si la seule
prière que tu faisais
dans ta vie était «merci»,
ce serait suffisant.

- Meister Eckhart

9 mars

Renouvelle-toi
complètement chaque
jour; fais-le encore
et encore et tous les
jours de ta vie.

- Proverbe chinois

10 mars

Les yeux
sont aveugles.
Il faut chercher
avec le cœur.

- Antoine de Saint-Exupéry

11 mars

L'amour commence là où commence l'éternité.

- Paulo Coelho

12 mars

L'amour
est un tyran
qui n'épargne
personne.

- Pierre Corneille

13 mars

L'amour est
un je-ne-sais-quoi,
qui vient je-ne-sais-d'où,
et qui finit
je-ne-sais-quand.

- Mlle de Scudéry

14 mars

J'aime ceux
qui ne savent pas trop
pourquoi ils aiment,
c'est qu'alors ils
aiment vraiment.

- André Gide

15 mars

...l'amour n'atteint la maturité et la sérénité qu'aidé par l'amitié. Il faut du temps, de la générosité et de la lucidité.

- Tahar Ben Jelloun

16 mars

Le cœur
a ses prisons
que l'intelligence
n'ouvre pas.

- Marcel Jouhandeau

17 mars

*L'obscurité ne peut
pas chasser l'obscurité;
seule la lumière le peut.
La haine ne peut pas
chasser la haine;
seul l'amour le peut.*

- Martin Luther King

18 mars

Le plus grand effort de la passion est de l'emporter sur l'intérêt.

- Jean de La Bruyère

19 mars

Aider c'est aimer.
Et l'amour,
c'est le point d'or
dans la nuit
des hommes.

- Félix Leclerc

20 mars

Il n'y a point de déguisement qui puisse longtemps cacher l'amour où il est, ni le feindre où il n'est pas.

- La Rochefoucauld

21 mars

Un cœur patient est un cœur triste.

- Laure Conan

22 mars

Le verbe aimer est difficile à conjuguer; son passé n'est pas simple, son présent n'est qu'indicatif, et son futur est toujours conditionnel.

- Jean Cocteau

23 mars

*Le moyen d'aimer
une chose est de
se dire qu'on pourrait
la perdre.*

- Gilbert Keith Chesterton

24 mars

Quand on a aimé
quelqu'un, ce n'est pas
la durée de la liaison qui
compte, c'est tout ce qu'on
a ressenti ou fait, et qui
ressort de là, intensifié.

- Alain de Botton

25 mars

L'amour d'un
père est plus haut
que la montagne.
L'amour d'une mère
est plus profond
que l'océan.

- Anonyme

26 mars

*Il n'y a
pas d'amour
perdu.*

- Marcel Achard

27 mars

*Lorsqu'une personne
se noie dans des idées
négatives, elle commet
un crime indescriptible
envers elle-même.*

- Maxwell Maltz

28 mars

Le seul
mal intrinsèque
est le manque
d'amour.

- John Robinson

29 mars

Le paradis
terrestre est
où je suis.

- Voltaire

30 mars

Mieux vaut
souffrir d'avoir aimé
que de souffrir de
n'avoir jamais
aimé.

- Anonyme

31 mars

Au premier coup d'œil
jeté sur un intérieur,
on sait qu'il y règne de
l'amour ou du désespoir.

- Honoré de Balzac

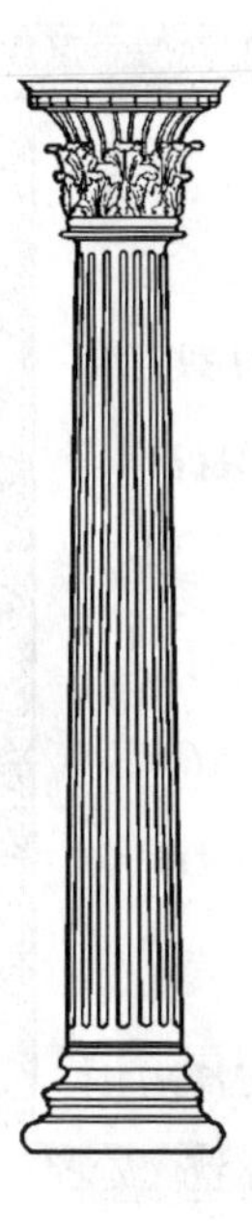

Avril

1er avril

N'ayez pas peur d'aimer: aimez de tout votre cœur, mais n'attendez pas tout de l'autre. Il n'est que ce qu'il est; si vous voulez qu'il soit tout, il ne sera plus rien.

- Catherine Bensaid

2 avril

Aimer,
c'est perdre
le contrôle.

- Paulo Coelho

3 avril

On aime vraiment
que lorsqu'on aime
sans raison.

- Anatole France

4 avril

La courbe
de tes yeux
fait le tour
de mon
cœur.

- Paul Eluard

5 avril

Il est pourtant vrai que c'est l'amour seul qui, dans le monde, nous rend indispensable.

- J. W. Von Goethe

6 avril

Aimer quelqu'un,
c'est lui donner
de l'importance à
ses propres yeux,
l'aider à croire
en lui-même.

- Victor Hugo

7 avril

*L'absence diminue
les médiocres passions,
et augmente les grandes
comme le vent éteint les
bougies et allume le feu.*

- La Rochefoucauld

8 avril

J'ai perdu
tout le temps
que j'ai passé sans
t'aimer...

- Le Tasse

9 avril

Aimer beaucoup,
comme c'est aimer peu!
On aime, rien de plus
et rien de moins.

- Guy de Maupassant

10 avril

Que ma plume vous apprenne ce que ma bouche ne peut vous dire et que mon cœur voudrait signer de mon sang.

\- Alfred de Musset

11 avril

Il y a toujours un peu
de folie dans l'amour.
Mais il y a toujours
un peu de raison
dans la folie.

- Nietzsche

12 avril

Ce qu'on n'a pas,
ce qu'on n'est pas,
ce dont on manque,
voilà les objets
de l'amour.

- Platon

13 avril

L'amour,
c'est d'abord aimer
follement l'odeur
de l'autre.

- Pascal Quignard

14 avril

L'amour
est avant tout
audience dans
le silence.

- Antoine de Saint-Exupéry

15 avril

L'amour
est une passion qui
ne se soumet à rien et
à laquelle, au contraire,
toutes choses se
soumettent.

- Mlle de Scudéry

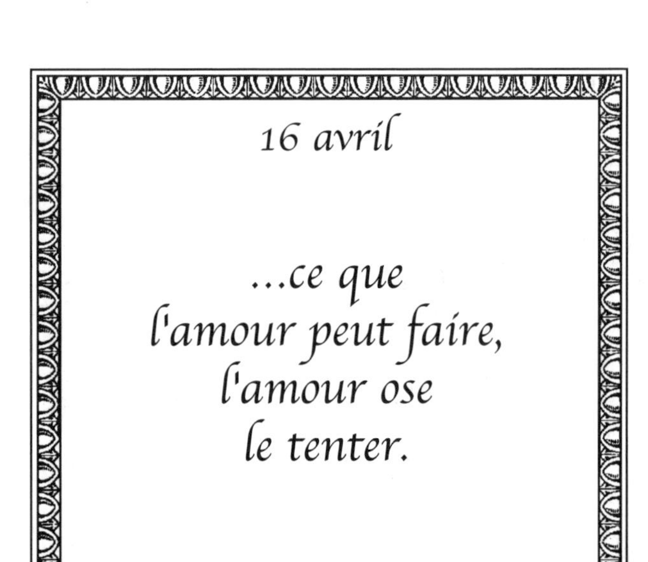

16 avril

...ce que
l'amour peut faire,
l'amour ose
le tenter.

- William Shakespeare

17 avril

Le premier amour
réclame seulement
un peu de sottise
et beaucoup de
curiosité.

- George Bernard Shaw

18 avril

L'amour a toujours été pour moi la plus grande des affaires, ou plutôt la seule.

\- Stendhal

19 avril

Il n'y a
qu'un remède
à l'amour:
aimer davantage.

- Henry David Thoreau

20 avril

S'aimer soi-même,
c'est se lancer dans
une belle histoire
d'amour qui durera
toute la vie.

- Oscar Wilde

21 avril

L'amitié
est une âme
en deux
corps.

- Aristote

22 avril

*Les amis sont
des compagnons de voyage,
qui nous aident à avancer
sur le chemin d'une vie
plus heureuse.*

- Pythagore

23 avril

Personne,
pas même le poète,
n'a jamais mesuré
ce que le cœur
peut contenir.

- Zelda Fitzgerald

24 avril

Ne méprisez la
sensibilité de personne.
La sensibilité de chacun,
c'est son génie.

- Charles Baudelaire

25 avril

L'amour peut
toujours me distraire,
mais en fait,
ma créativité m'excite.

- Gilda Radner

26 avril

Malgré toute l'affection
que nous portons aux êtres
qui nous sont chers, il peut
arriver que pendant leur
absence, nous ressentions
une paix inexplicable.

- Ann Shaw

27 avril

Celui qui méprise
les petites choses,
n'en aura jamais
de grandes.

- Anonyme

28 avril

Il n'est pas facile
de trouver le bonheur
en nous-mêmes, mais
il n'est pas possible de
le trouver ailleurs.

- Agnès Repplier

29 avril

L'amour de soi, Monseigneur, n'est pas un péché aussi vilain que celui de la négligence de soi.

- William Shakespeare

30 avril

L'activité fait plus de fortunes que la prudence.

\- Vauvenargues

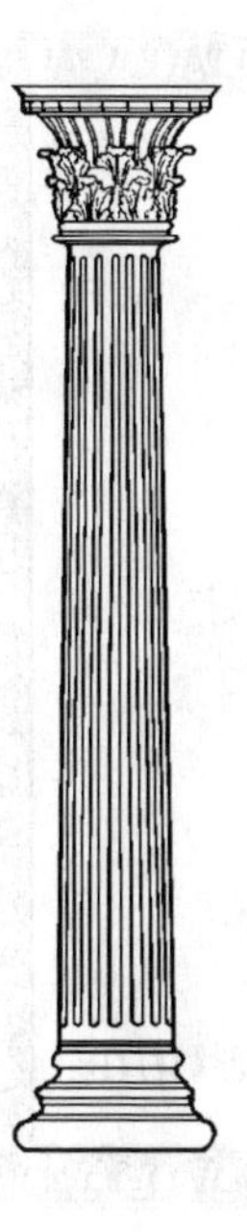

Mai

1er mai

*Celui qui n'a
point de dispute est
dans le célibat.*

- Anonyme

2 mai

La conscience
est la voix de l'âme,
les passions sont la
voix du corps.

- Jean-Jacques Rousseau

3 mai

Si l'on regarde
dans la bonne direction,
on n'a qu'à continuer
d'avancer.

- Proverbe bouddhiste

4 mai

La haine
tue toujours,
l'amour ne meurt
jamais.

\- Gandhi

5 mai

L'amour est comme
une plante grimpante
qui se dessèche et meurt
si elle n'a rien
à enlacer.

- Anonyme

6 mai

*L'amour
n'est pas seulement
un sentiment, il est
un art aussi.*

- Honoré de Balzac

7 mai

Aimer un être,
c'est accepter de
veillir avec lui.

- Albert Camus

8 mai

Si les plaisirs sont passagers, les peines le sont aussi.

- Casanova

9 mai

Ce qui peut
tout animer,
tout adoucir,
tout colorer
- un grand amour.

- Laure Conan

10 mai

Celui dont
le cœur est ressuscité
par l'amour ne
mourra jamais.

- Anonyme

11 mai

Le mal
n'est jamais dans
l'amour.

- André Gide

12 mai

Les gens qui envoient des baisers sont de sacrés paresseux.

- Bob Hope

13 mai

L'amour qui
naît subitement
est le plus long
à guérir.

- Jean de La Bruyère

14 mai

Quand un homme
est fou d'une femme,
il n'y a qu'elle qui
puisse le guérir
de sa folie.

- Anonyme

15 mai

L'amour le plus discret laisse par quelques marques échapper son secret.

\- Molière

16 mai

L'amour
ne veut pas la durée;
il veut l'instant
et l'éternité.

- Nietzsche

17 mai

L'amour est comme
le mercure dans la main.
Garde-la ouverte, il te
restera dans la paume;
resserre ton étreinte, il te
filera entre les doigts.

- Dorothy Parker

18 mai

Il n'est
point de raison
pour aimer.

- Antoine de Saint-Exupéry

19 mai

C'est un
amour bien pauvre,
celui que l'on peut
calculer.

- William Shakespeare

20 mai

Il y a pour l'âme humaine trois façons de sentir: le plaisir, la douleur et un troisième sentiment où coexistent les deux autres: l'amour.

- Baronne de Staël

21 mai

Bonne action
est toujours
récompensée.

- Anonyme

22 mai

*Il est plus
difficile de dissimuler
les sentiments que l'on a
que de feindre ceux que
l'on n'a pas.*

- La Rochefoucauld

23 mai

Du moment
qu'il aime, l'homme
le plus sage ne voit
plus aucun objet
tel qu'il est.

- Stendhal

24 mai

Si véritablement
nous désirons aimer,
nous savons bien que
nous devons apprendre
à pardonner.

- Mère Thérésa

25 mai

Aimer, c'est croire
que l'existence nous
aime au moment
même où elle semble
nous trahir.

- Pierre Trépanier

26 mai

Le malheur
a cela de bon
qu'il nous apprend
à connaître nos
vrais amis.

- Honoré de Balzac

27 mai

*L'homme commence
par aimer l'amour et
finit par aimer une femme.
La femme commence par
aimer un homme et finit
par aimer l'amour.*

- Rémy de Gourmont

28 mai

*La souffrance
est une aventure
qui a une fin.*

- Matthew Fox

29 mai

*L'amour,
c'est l'espace
et le temps
rendus sensibles
au cœur.*

- Marcel Proust

30 mai

On ne peut acheter ou vendre l'amour. On peut seulement le donner.

\- Proverbe chinois

31 mai

Quand on
n'aime pas trop,
on n'aime pas
assez.

- Bussy-Rabutin

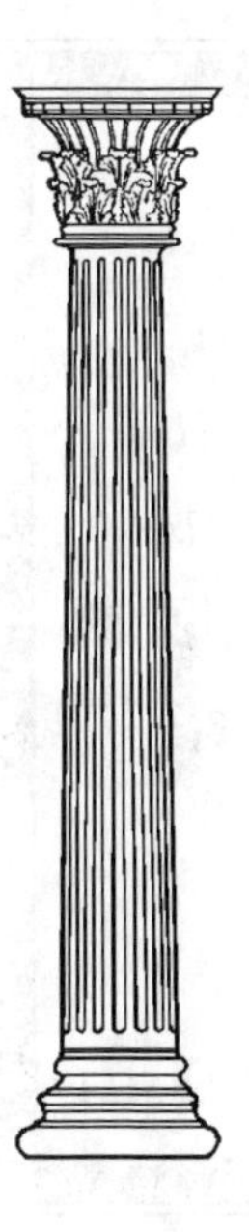

Juin

1er juin

Grâce à un effet du hasard,
un homme peut régner sur
le monde pendant quelque
temps; mais en vertu de
l'amour et de la bonté,
il peut régner sur le
monde à tout jamais.

- Lao-Tseu

2 juin

Rien de plus commun
que le nom d'un ami,
rien de plus rare
que la chose.

- Anonyme

3 juin

L'absence est le plus grand de tous les maux.

- Jean de La Fontaine

4 juin

Pour ne pas empirer les choses, quelquefois ne dis rien, ne fais rien.

- Jérôme

5 juin

Le mal qu'on
dit d'autrui ne produit
que du mal.

\- Nicolas Boileau

6 juin

Permettez-vous d'être qui vous êtes vraiment et aimez-vous entièrement pour cela.

\- Rantha

7 juin

Rien
dans ce monde
n'est accompli
sans passion.

- Proverbe chinois

8 juin

La charité
n'est jamais perdue,
pour ceux qui
la font.

- Paul-Jean Toulet

9 juin

La haine,
c'est la colère
des faibles.

- Alphonse Daudet

10 juin

Il ne faut pas condamner sans entendre.

- Anonyme

11 juin

L'homme le plus heureux est celui qui fait le bonheur d'un plus grand nombre d'autres.

- Diderot

12 juin

Comprendre,
c'est pardonner.

- Baronne de Staël

13 juin

Pour bien
aimer une vivante,
il faut l'aimer comme
si elle devait mourir
demain.

- Anonyme

14 juin

S'aimer, c'est lutter
constamment contre des
milliers de forces cachées
qui viennent de vous
ou du monde.

- Jean Anouilh

15 juin

*Parler d'amour,
c'est faire l'amour.*

- Honoré de Balzac

16 juin

C'est cela
l'amour, tout donner,
tout sacrifier sans
espoir de retour.

- Albert Camus

17 juin

On aime
parce qu'on aime.
Il n'y a aucune raison
pour aimer.

- Paulo Coelho

18 juin

Le paradoxe de l'amour réside en ce que deux êtres deviennent un et cependant restent deux.

- Erich Fromm

19 juin

Ceux qui attendent
les grandes occasions
pour prouver leur
tendresse ne savent
pas aimer.

- Laure Conan

20 juin

Il suffit d'aimer
du fond du cœur un
seul être pour que
tous les autres nous
paraissent aimables.

- J. W. Von Goethe

21 juin

Le véritable amour,
c'est quand un silence
n'est plus gênant.

- Jean-Jacques Goldman

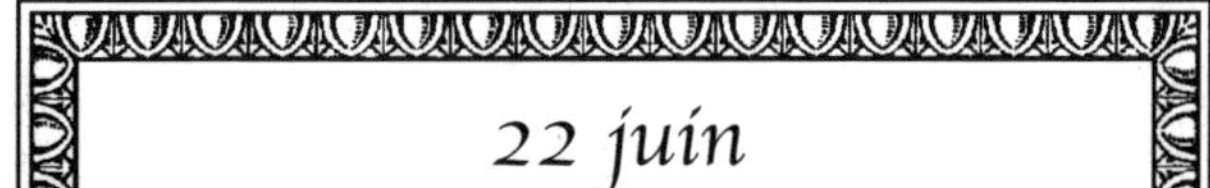

22 juin

Il n'y a
qu'une sorte d'amour,
mais il y a mille
différentes copies.

\- La Rochefoucauld

23 juin

Cœur content,
grand talent.

- Anonyme

24 juin

Une bonne
amitié nécessite
de la durée plutôt
qu'une intensité
troublée.

- Aristote

25 juin

On peut
fendre un rocher;
on ne peut pas
toujours attendrir
un cœur.

- Anonyme

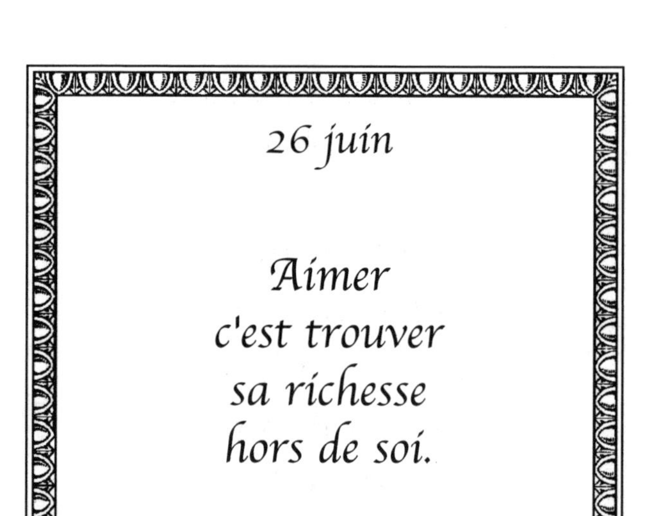

26 juin

Aimer
c'est trouver
sa richesse
hors de soi.

\- Alain

27 juin

Un baiser
apaise la faim,
la soif. On y dort.
On y habite.
On y oublie.

-Jacques Audiberti

28 juin

Quand on tombe amoureux, on ne sait pas toujours sur qui on tombe; mais, on le sait, la chute peut être fatale.

- Catherine Bensaid

29 juin

La vie ne se compare pas à un petit bout de chandelle. La vie est un flambeau splendide que je veux voir brûler aussi brillamment que possible avant de le passer à la prochaine génération.

- George Bernard Shaw

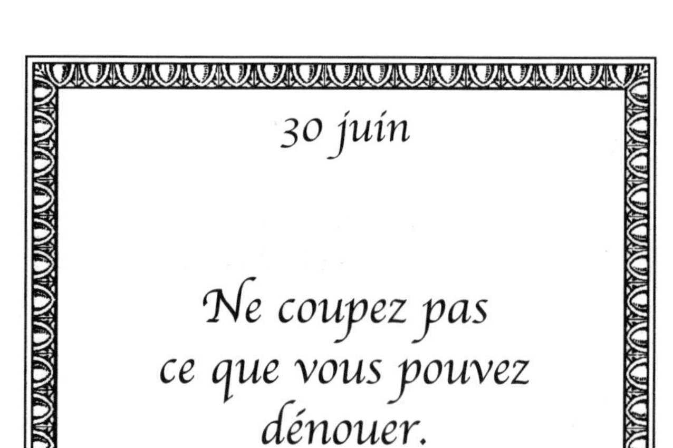

30 juin

Ne coupez pas
ce que vous pouvez
dénouer.

- Joseph Joubert

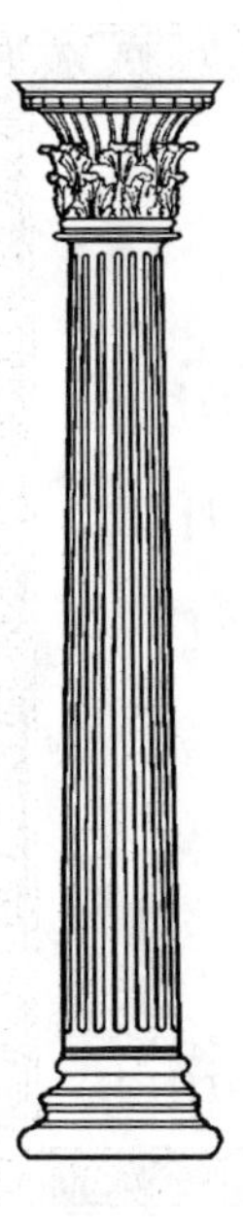

Juillet

1er juillet

Le problème lorsqu'on résiste à la tentation, c'est qu'elle pourrait très bien ne pas se représenter.

- Proverbe chinois

2 juillet

Hier, c'est de l'histoire,
demain c'est un mystère et
aujourd'hui est un cadeau;
c'est pour cela qu'on
l'appelle un présent.

- Anonyme

3 juillet

Il n'est qu'un
luxe véritable,
c'est celui des
relations humaines.

- Antoine de Saint-Exupéry

4 juillet

Le sort fait
les parents,
le choix fait
les amis.

- Delille

5 juillet

Souvent une fausse joie vaut mieux qu'une tristesse dont la cause est vraie.

- Descartes

6 juillet

Toutes les grandeurs de ce monde ne valent pas un bon ami.

- Voltaire

7 juillet

Tu n'as pas
besoin de connaître
la destination pour
avancer dans la
bonne direction.

- Proverbe chinois

8 juillet

On nous
apprend à craindre,
mais on peut le
désapprendre.

- Karl A. Menninger

9 juillet

Le méchant est
comme le charbon,
s'il ne vous brûle,
il vous noircit.

- *Anonyme*

10 juillet

La musique
nettoie de l'âme
la poussière du
quotidien.

- Berthold Auerbach

11 juillet

Le nombre infini de maladies qui nous tuent est assez grand; et notre vie est assez courte pour qu'on puisse se passer de la guerre.

- Voltaire

12 juillet

Comme l'amour
est aveugle,
il est très important
de toucher.

- Anonyme

13 juillet

L'amour
donne le vertige,
mais son vertige,
si intolérable qu'il soit,
est un délice infini.

- Hubert Aquin

14 juillet

En amour,
trop n'est même
pas assez.

- de Beaumarchais

15 juillet

L'amour
est un rêve
pour deux.

- Björk

16 juillet

Aimer quelqu'un,
c'est le lire. C'est savoir
lire toutes les phrases
qui sont dans le cœur
de l'autre, et en lisant
le délivrer.

- Christian Bobin

17 juillet

La plus grande
douceur de la vie,
c'est d'admirer ce
qu'on aime.

- Laure Conan

18 juillet

L'amour est incomparablement meilleur que la haine; il ne saurait être trop grand.

- Descartes

19 juillet

Chaque personne
est l'architecte
de sa propre
chance.

- Proverbe chinois

20 juillet

Si tu veux récolter un grand amour, apporte un grand engagement.

\- Jérôme

21 juillet

Il n'y a que
ceux qui ne font rien
qui ne se trompent
jamais.

- Anonyme

22 juillet

Les caresses sont aussi nécessaires à la vie des sentiments que les feuilles le sont aux arbres. Sans elles, l'amour meurt par la racine.

- Nathaniel Hawthorne

23 juillet

Pour moi,
être aimé n'est rien,
c'est être préféré
que je désire.

- André Gide

24 juillet

Que sont toutes
les actions et les pensées
des hommes durant des
siècles contre un seul
instant de l'amour?

\- Friedrich Hölderlin

25 juillet

Aimer
c'est la moitié
de croire.

- Victor Hugo

26 juillet

*L'amour, aussi bien
que le feu, ne peut
subsister sans un mouvement
continuel, et il cesse de vivre
dès qu'il cesse d'espérer
ou de craindre.*

- La Rochefoucauld

27 juillet

Je l'aime trop
pour en être jaloux.
J'ai pris parti
d'en être fier.

- Pierre Choderlos de Laclos

28 juillet

La vie est un sommeil,
l'amour en est le rêve,
et vous aurez vécu
si vous avez aimé.

- Alfred de Musset

29 juillet

L'amour véritable
commence là où
tu n'attends rien
en retour.

- Antoine de Saint-Exupéry

30 juillet

Misérable
est l'amour
qui se laisserait
mesurer.

- William Shakespeare

31 juillet

L'amour est
une fleur délicieuse,
mais il faut avoir le
courage d'aller la
cueillir sur les bords
d'un précipice affreux.

- Stendhal

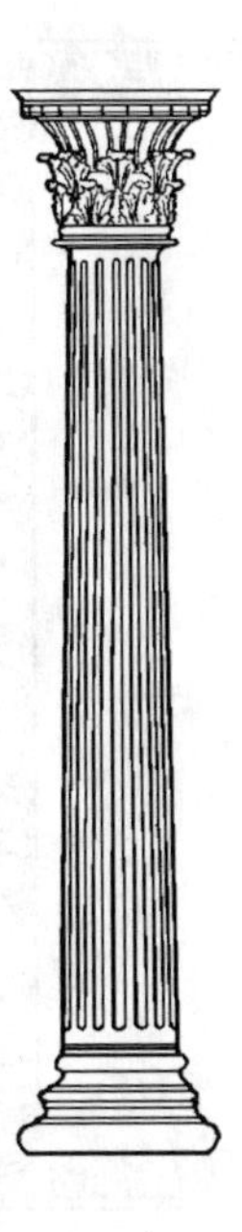

Août

1er août

L'homme est
plus dur que le fer,
plus fort que le roc
et plus fragile
qu'une rose.

- Proverbe turc

2 août

Regarder tout
le temps en arrière
est ennuyeux.
C'est l'avenir qui
est excitant.

- Natalia Makarova

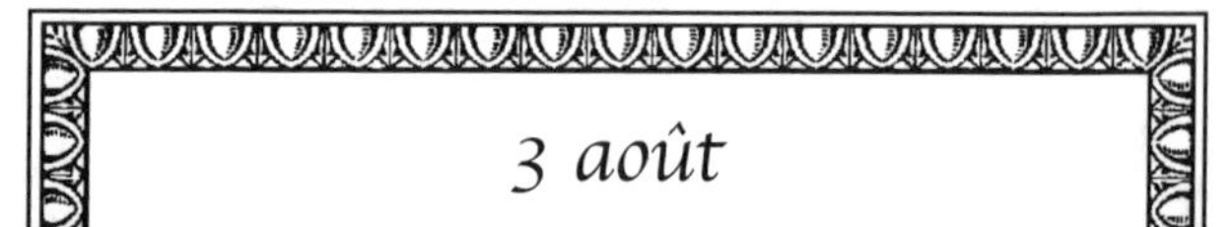

3 août

Il faut
aimer si l'on veut
être aimé.

- Honoré d'Urfé

4 août

L'amour
ne loge point
sous le toit
de l'avarice.

- Anonyme

5 août

Une pure
merveille peut naître
des plus noirs
moments.

- Corita Kent

6 août

La grande affaire
et la seule qu'on doive
avoir, c'est de vivre
heureux.

\- Voltaire

7 août

Dans le monde,
vous avez trois sortes d'amis:
vos amis qui vous aiment,
vos amis qui ne se soucient
pas de vous, et vos amis
qui vous haïssent.

- Chamfort

8 août

*Il faut rire
avant d'être heureux,
de peur de mourir
sans avoir ri.*

- Jean de La Bruyère

9 août

L'amour
rend aimable,
pas seulement
les aimés,
pas seulement
les amants.

- Claude Roy

10 août

L'amour, l'amitié,
c'est surtout rire avec
l'autre, c'est partager
le rire que de s'aimer.

- Arletty

11 août

Aimer. Voilà bien
le seul verbe qui, en tout
lieu, en tout temps, du
plus mauvais sujet fasse
un bon complément.

- Hervé Bazin

12 août

*L'amour n'est pas
plus fort que ses maux
et sa joie n'est pas
plus belle que
sa peine.*

- Abraham Chlonsky

13 août

L'absence est
à l'amour ce qu'est
au feu le vent;
il éteint le petit,
il allume le grand.

- Bussy-Rabutin

14 août

*Un cœur
n'est juste que
s'il bat au rythme
des autres
cœurs.*

- Paul Eluard

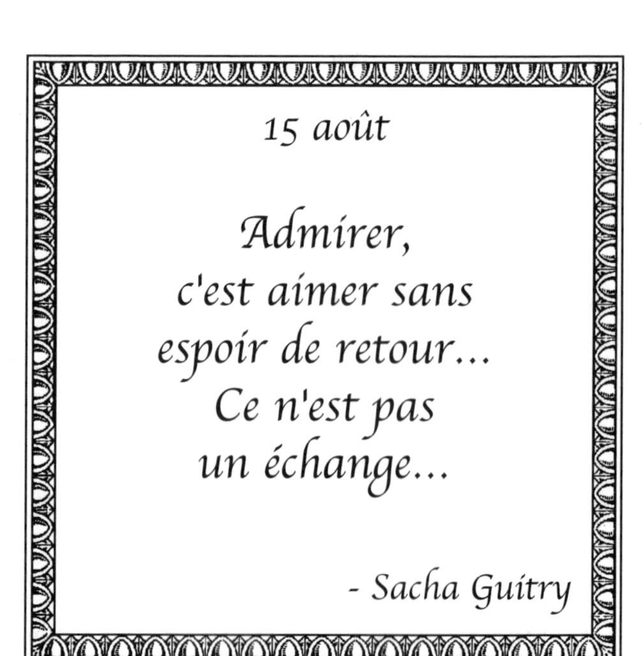

15 août

Admirer,
c'est aimer sans
espoir de retour...
Ce n'est pas
un échange...

- Sacha Guitry

16 août

L'amour a plus d'importance que n'importe quelles tentatives de forcer quelqu'un à reconnaître que vous avez raison.

– Ken Kayes

17 août

L'amour se passe de cadeaux, mais pas de présence.

- Félix Leclerc

18 août

Après avoir souffert,
il faut souffrir encore;
il faut aimer sans cesse
après avoir aimé.

- Alfred de Musset

19 août

La seule
anomalie est
l'incapacité
à aimer.

- Platon

20 août

La passion d'amour
n'a pas besoin pour
brûler à haute flamme
de la présence réelle.

- Claude Roy

21 août

Amour,
donne-moi ta force,
et cette force
me sauvera.

- William Shakespeare

22 août

L'amour est don de Dieu qui détruit en moi l'illusion d'être un corps: mon esprit ainsi purifié perd conscience du temps et du lieu.

- Toukaram

23 août

Toute amitié doit être choisie pour elle-même, même si elle a trouvé son point de départ dans l'utilité.

- Épicure

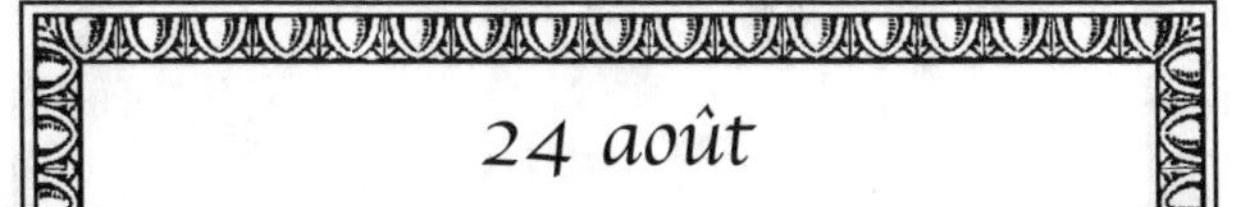

24 août

L'amour est
un feu qui s'éteint
s'il ne s'augmente.

- Stendhal

25 août

L'amitié
sans confiance
c'est une fleur
sans parfum.

- Laure Conan

26 août

Seul l'amour permet
de rejoindre la blessure
de celui qui souffre
pour atteindre la
racine de son mal.

- Pierre Trépanier

27 août

L'amour serait
un bien suprême
si l'on pouvait mourir
de trop aimer!

- Victor Hugo

28 août

Si tous nos
désirs se réalisaient,
nombre de nos rêves
seraient détruits.

- Proverbe chinois

29 août

Les mots aimables
peuvent être courts
et faciles à prononcer,
mais leurs échos sont
véritablement infinis.

- Mère Thérésa

30 août

Si tu veux
une compagne, sois
un bon compagnon.
Si tu veux une amie,
sois un bon ami.

- Jérôme

31 août

Ceux qui donnent
et qui reçoivent
restent longtemps
amis.

- Anonyme

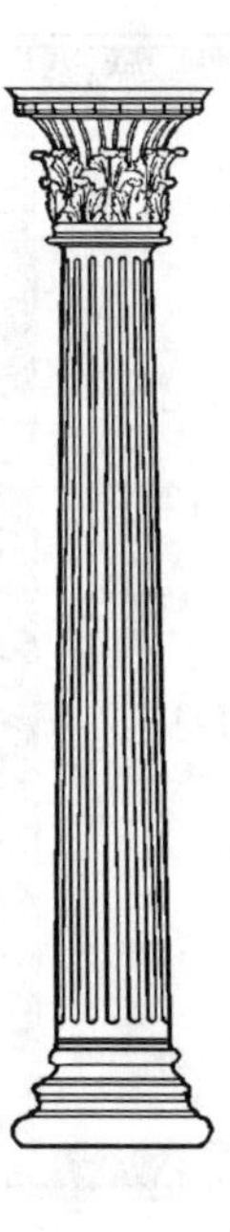

Septembre

1er septembre

Si tu cherches des idées créatrices, sors faire une promenade. Les anges chuchotent aux hommes qui se promènent.

- Raymond Inmon

2 septembre

Le plus grand secret du bonheur, c'est d'être bien avec soi.

\- Fontenelle

3 septembre

Ce qui est derrière
nous et qui est devant
nous ne sont que peu de
choses comparés à ce qui
est au-dedans de nous.

- Olivier Wendell Holmes

4 septembre

Joie partagée
est double joie et
peine partagée est
moitié peine.

- Proverbe suédois

5 septembre

L'amour,
c'est l'oubli
de soi.

- René Barjavel

6 septembre

L'amour, une rencontre de deux salives... Tous les sentiments puisent leur absolu dans la misère des glandes.

- Emil Michel Cioran

7 septembre

Quand l'amour
croît en toi,
crois en lui.

- Frédéric Dard

8 septembre

Celui qui
est amoureux
n'a pas peur
pour sa vie.

- Baba Tahir Hamdani

9 septembre

En amour,
le rapport des forces
n'est pas une conquête,
c'est un naufrage.

- Olivier de Kersauson

10 septembre

La haine trouble la vie; l'amour la rend harmonieuse. La haine obscurcit la vie; l'amour la rend lumineuse.

- Martin Luther King

11 septembre

Aimer,
c'est se libérer
de la peur.

– de Montesquieu

12 septembre

Oserais-je dire
que le cœur concilie
les choses contraires,
et admet les
incompatibles?

- Jean de La Bruyère

13 septembre

Ainsi qu'un
tournesol, mon âme
est tout ouverte,
impatiente, écartelée
d'amour et d'espérance.

\- Eduard Mörike

14 septembre

Le cœur fait tout,
le reste est inutile.

- Jean de Lafontaine

15 septembre

Aimer est un
mauvais sort comme ceux
qu'il y a dans les contes,
contre quoi on ne peut
rien jusqu'à ce que
l'enchantement ait cessé.

- Marcel Proust

16 septembre

Les feux de l'amour
laissent parfois une
cendre d'amitié.

- Henri de Régnier

17 septembre

Aimer, c'est pouvoir penser tout haut avec un autre être humain. Confier ce qui passe par la tête, c'est comme arracher le voile sur la nudité et ses états.

- Pascal Quignard

18 septembre

Aimer, c'est
donner raison
à l'être aimé
qui a tort.

- Charles Péguy

19 septembre

L'amour
ressemble à la soif;
une goutte d'eau
l'augmente.

- Restif de La Bretonne

20 septembre

La seule façon
d'avoir un ami
est d'en être un.

- Ralph Waldo Emerson

21 septembre

Au fond de notre âme,
nous croyons...
Au fond de notre cœur,
nous aimons.

- Anissa Baril

22 septembre

Celui qui
tombe en amour
avec lui-même
n'aura certes pas
de rival.

- Proverbe chinois

23 septembre

En art
comme en amour,
l'instinct suffit.

- Anatole France

24 septembre

L'on a déjà dit,
avec raison, qu'il
est impossible d'aimer
réellement une personne
dont on ne rit jamais.

- Agnès Repplier

25 septembre

Pour qu'une liaison d'homme à femme soit vraiment intéressante, il faut qu'il y ait entre eux jouissance, mémoire ou désir.

- Chamfort

26 septembre

Celui qui ne s'émeut
a l'âme d'un barbare
ou n'en a point
du tout.

- Malherbe

27 septembre

Celui qui ne
commet pas d'erreur
ne commet, en général,
rien.

- Proverbe chinois

28 septembre

L'enfer,
c'est de ne plus
aimer.

- Georges Bernanos

29 septembre

Aucun homme
ne peut accomplir
de grandes choses
s'il n'est pas sincère
envers lui-même.

- James Russell Lowell

30 septembre

La vie est
le premier cadeau,
l'amour le deuxième,
et la compréhension
le troisième.

- Marge Piercy

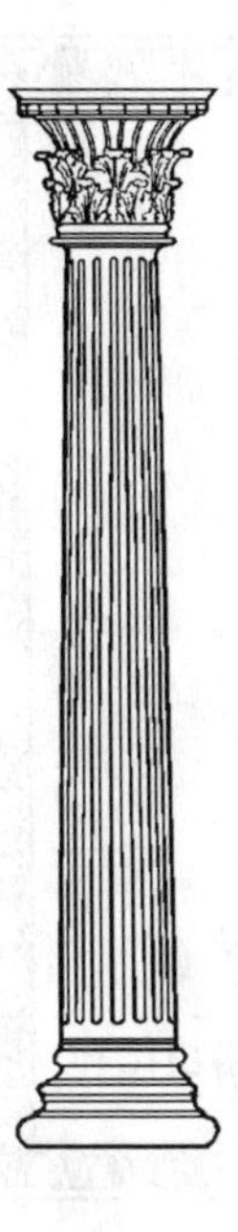

Octobre

1er octobre

L'affection n'est jamais perdue.

– Henry W. Longfellow

2 octobre

L'oreille
est le chemin
du cœur.

- Voltaire

3 octobre

L'amour est
le problème des gens
qui n'ont pas de
problèmes.

- Frédéric Beigbeder

4 octobre

Aimer c'est trouver,
grâce à un autre, sa
vérité et aider cet autre
à trouver la sienne.
C'est créer une complicité
passionnée.

- Jacques de Bourbon-Busset

5 octobre

L'homme
a deux faces:
il ne peut pas aimer
sans s'aimer.

- Albert Camus

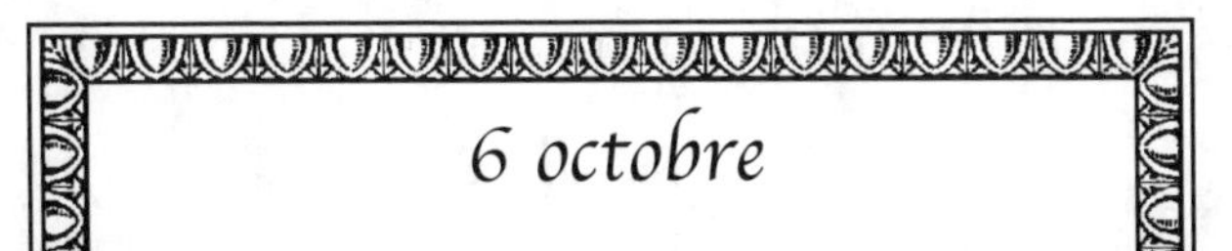

6 octobre

L'amour est
la seule chose
que le partage
grandit.

- Massa Kakan Diabaté

7 octobre

L'amour c'est comme
un appétit déréglé qu'on
se sent pour un mets
plutôt que pour un autre,
sans en pouvoir rendre
la raison.

- Ninon de Lenclos

8 octobre

L'amour
se nourrit de patience
autant que de désir.

\- Amin Maalouf

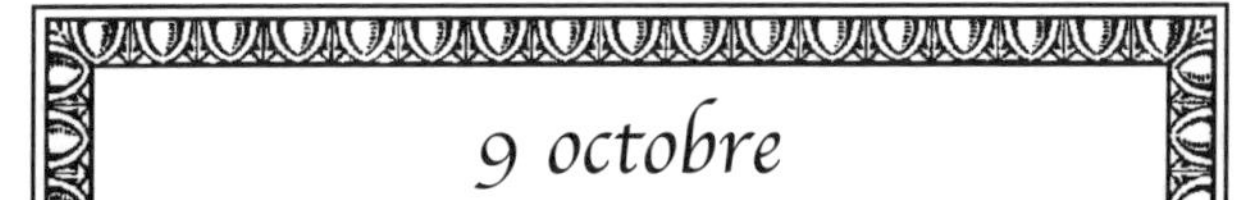

9 octobre

L'amitié
multiplie les joies
et divise
les peines.

- Sir Francis Bacon

10 octobre

*Aimer un être,
c'est tout simplement
reconnaître qu'il existe
autant que vous.*

- Simone Weil

11 octobre

L'amour
sans éternité
s'appelle angoisse:
l'éternité sans amour
s'appelle enfer.

- Gustave Thibon

12 octobre

La mesure
de l'amour c'est
d'aimer sans
mesure.

- Saint Augustin

13 octobre

L'amour ne voit pas avec les yeux, mais avec l'âme.

- William Shakespeare

14 octobre

Je ne sais partager que l'amour, non la haine.

- Sophocle

15 octobre

Je veux bien
vieillir en vous aimant,
mais non mourir sans
vous le dire.

- Antoine de Rivarol

16 octobre

Les amours non
assouvies ne meurent pas;
elles attendent dans
l'ombre l'étincelle qui les
fera flamber à nouveau.

- Simone Piuze

17 octobre

Quand une femme est
la douceur et le trouble,
l'amusement et la gravité,
la nouveauté et la mémoire,
le voyage et la demeure...
Quel homme digne de ce nom
refuse ce miracle et choisit de fuir
en invoquant l'inconfort d'aimer?

- Erik Orsenna

18 octobre

Alors, qu'est-ce que l'amour? C'est le comble de l'union de la folie et de la sagesse.

- Edgard Morin

19 octobre

L'amour
n'est qu'une forme
de conversation où les
mots sont mis en action
au lieu d'être parlés.

- David Herbert Lawrence

20 octobre

Toutes les passions
nous font faire des fautes,
mais l'amour nous en fait
faire de plus ridicules.

- La Rochefoucauld

21 octobre

Un amour
excessif est un amour
coupable.

- Milan Kundera

22 octobre

Quelle noblesse
d'avoir un ami, mais
combien plus noble
d'être un ami!

- Virgile

23 octobre

Je prends les gens un
par un. Dieu a fait le monde
suffisamment riche pour
nourrir et vêtir tous les
humains. Le monde sera
surpeuplé quand nous
oublierons de nous aimer.

\- Mère Théresa

24 octobre

Celui qui
dissimule son mal
ne peut s'attendre
à guérir.

- Proverbe éthiopien

25 octobre

La dernière liberté humaine est de choisir notre attitude.

- Victor Frankl

26 octobre

L'on devrait, au moins une fois par jour, écouter une chanson, lire un bon poème, voir un bon film et si possible, prononcer quelques mots sensés.

- Shunryu Suzuki

27 octobre

*J'ai appris,
malgré l'état dans
lequel je me trouve,
à être content.*

- Saint Paul

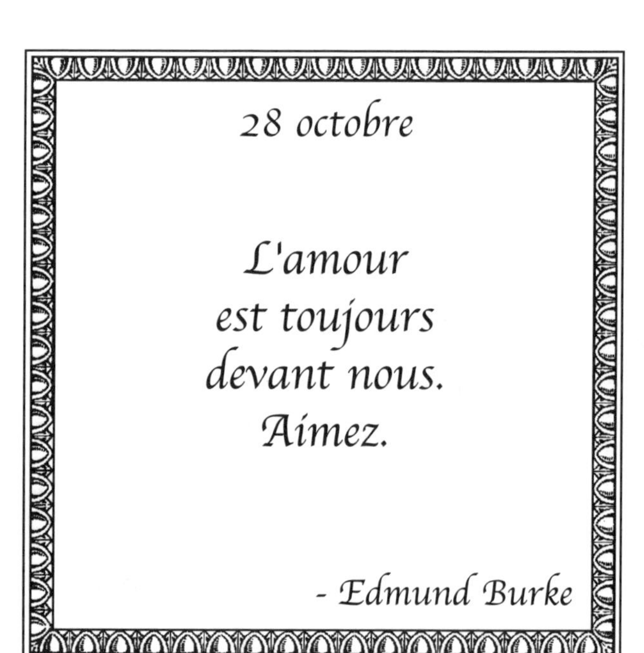

28 octobre

L'amour
est toujours
devant nous.
Aimez.

- Edmund Burke

29 octobre

Il n'y a rien
au ciel et sur la terre
que l'amour ne soit
capable de donner.

\- Paul Claudel

30 octobre

Quand on n'a
pas ce que l'on aime,
il faut aimer ce
que l'on a.

- Bussy-Rabutin

31 octobre

Nul n'arrose
plates-bandes, pelouses,
taillis, myosotis et haies,
sans songer aux délices
de l'amour.

- Marc Gendron

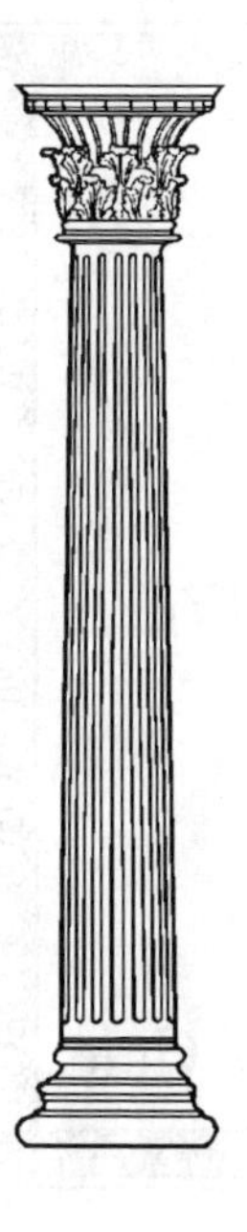

Novembre

1er novembre

C'est le propre
de l'amour...
d'être forcé de croître,
sous peine de
diminuer.

- André Gide

2 novembre

La seule amitié
qui vaille est celle
qui naît sans
raison.

\- Arthur Van Schendel

3 novembre

Si mes amis
sont heureux,
je serai moins
misérable.

\- Voltaire

4 novembre

Aimer c'est
se surpasser.

- Oscar Wilde

5 novembre

L'amour
est la joie,
accompagnée de
l'idée d'une cause
extérieure.

- Benedict Spinoza

6 novembre

Ne dis pas
<<plus tard >>
à l'amour.

- William Shakespeare

7 novembre

L'amour
est un égoïsme
à deux.

- Baronne de Staël

8 novembre

L'amour...
n'excuse pas les folies,
mais il les sauve
du ridicule.

- Jules Romains

9 novembre

Le jour où la joie
des autres devient ta joie,
le jour où leur souffrance
devient ta souffrance,
tu peux dire que
tu les aimes.

- Michel Quoist

10 novembre

Ce qu'on
fait par amour
l'est toujours par-delà
le bien et le mal.

- Nietzsche

11 novembre

Le seul vrai langage au monde est un baiser.

- Alfred de Musset

12 novembre

L'idéal de l'amitié c'est de se sentir un et de rester deux.

– Anne Sophie Sweitchine

13 novembre

L'amitié est un sentiment aussi mystérieux que l'amour.

- Jean Dutourd

14 novembre

...l'amour
est le désespoir
résigné.

- Miguel de Unamuno

15 novembre

Bien aimer,
c'est aimer
follement.

\- André Suarès

16 novembre

La passion,
cet absolu désir qu'on
ne peut jamais combler
quand il a pour moteur
l'absence de l'autre.

- Jean Royer

17 novembre

Chacun se dit ami;
mais fou qui s'y repose;
rien n'est plus commun
que ce nom, rien n'est
plus rare que la chose.

\- Jean de Lafontaine

18 novembre

Notre amour
n'est pas vrai
si l'on croit que l'autre
peut nous faire
du tort.

- Pierre Trépanier

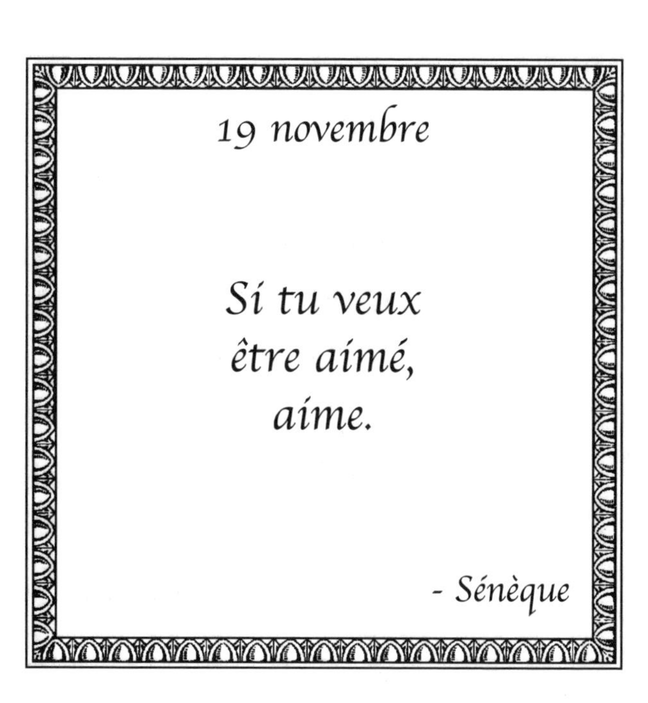

19 novembre

Si tu veux
être aimé,
aime.

- Sénèque

20 novembre

*L'individu
sain et fort est
celui qui demande
de l'aide quand
il en a besoin.*

- Rona Barrett

21 novembre

Qu'est-ce
donc que l'amour?
Une maladie à laquelle
l'homme est sujet
à tout âge.

- Casanova

22 novembre

Rien n'est petit dans l'amour.

- Laure Conan

23 novembre

*L'amour est
pareil au soleil et
le cœur sans amour
est semblable à la
pierre noire.*

- Yunus Emre

24 novembre

On ne raconte
pas l'amour, pas plus
qu'on ne raconte
le bonheur.

- Julien Green

25 novembre

Celui qui est
amoureux de soi
a au moins l'avantage
de ne point avoir
trop de rivaux.

- Georg Christoph Lichtenberg

26 novembre

Sans amour
presque toute
la vie demeure
cachée.

- Hanif Kureishi

27 novembre

En amour,
il n'y a pas plus
terrible désastre
que la mort de
l'imagination.

- George Meredith

28 novembre

Rien ne
dérange davantage
une vie que
l'amour.

- François Mauriac

29 novembre

L'amour est
la reconnaissance,
dans la personne aimée,
de cette capacité d'envol
qui est propre aux
créatures humaines.

- Octavio Paz

30 novembre

Mon amour s'est
transformé en flamme,
et cette flamme consume
peu à peu ce qui est
terrestre en moi.

- Novalis

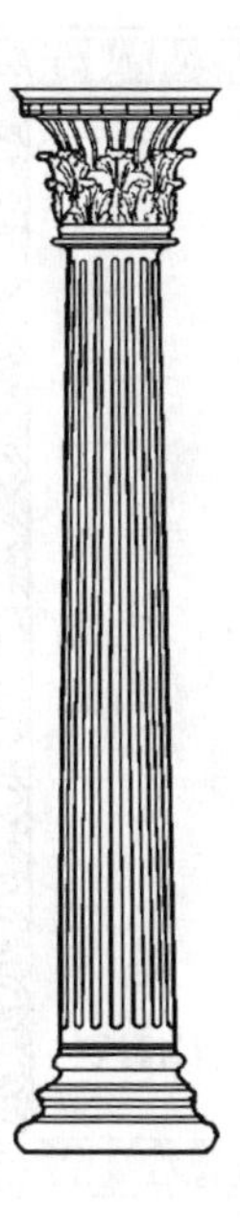

Décembre

1er décembre

Quand l'amour
veut parler,
la raison doit
se taire.

- Jean-François Regnard

2 décembre

Amitié,
doux repos de l'âme,
crépuscule charmant
des cœurs...

- Alphonse de Lamartine

3 décembre

Il faut conserver
le désir de bâtir
son amour, de faire
de chaque jour le
début de l'avenir.

- Susan L. Baril

4 décembre

Les amis sont les êtres qui vous aident à être vous-même et à devenir la personne que vous devriez être.

- Merle Shain

5 décembre

L'amour est
la seule passion
qui se paye d'une
monnaie qu'elle
fabrique elle-même.

- Stendhal

6 décembre

Aimer l'amour,
c'est s'aimer
soi.

- Charles Maurras

7 décembre

L'amour sort du futur
avec un bruit de torrent,
et il se jette dans le passé
pour le laver de toutes les
souillures de l'existence.

- Pieyre de Mandriargues

8 décembre

Mieux vaut
aimer dans les enfers
que d'être sans amour
dans le paradis.

- Marcel Jouhandeau

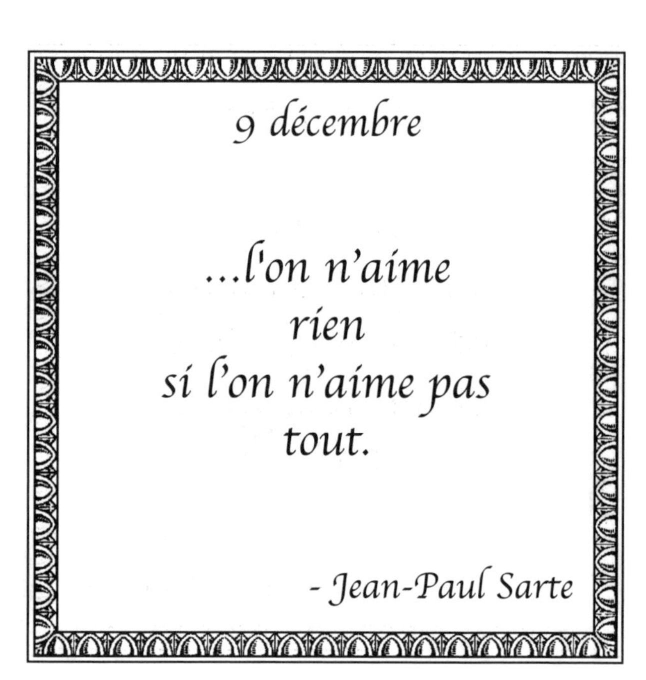

9 décembre

...l'on n'aime
rien
si l'on n'aime pas
tout.

\- Jean-Paul Sarte

10 décembre

Un ami,
c'est quelqu'un qui
vous connaît bien
et qui vous aime
quand même.

- Hervé Lauwick

11 décembre

La joie
vient à celui
qui ne craint pas
la solitude.

- Joyce Cary

12 décembre

*Les enfants
ont plus besoin
de modèles que
de critiques.*

- Joseph Joubert

13 décembre

*Une lèvre douce
vous promet une
éternité de baisers.*

\- Ben Jonson

14 décembre

Tout ment
en l'absence
d'amour.

- Henry Bataille

15 décembre

Quand nous aimons, nous sommes l'univers et l'univers vit en nous.

- Octave Pirmez

16 décembre

La véritable
amitié sait être
lucide quand il faut,
aveugle quand
elle doit.

\- Francis Blanche

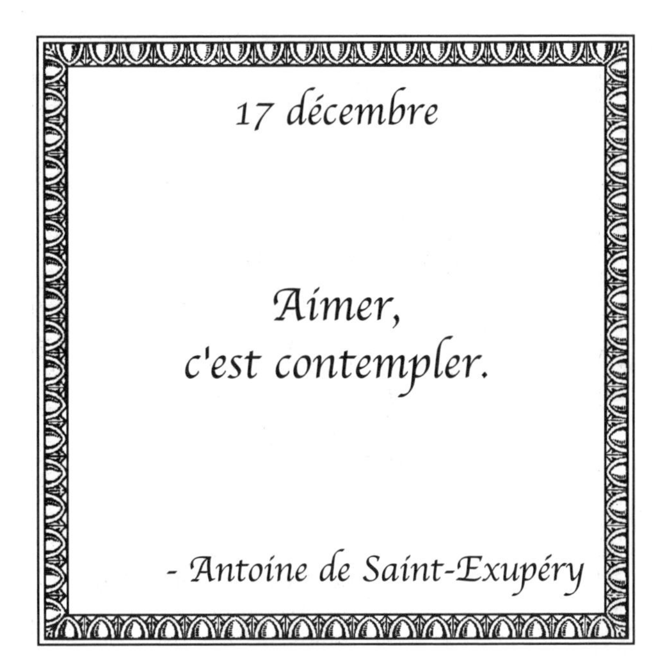
17 décembre

Aimer,
c'est contempler.

\- Antoine de Saint-Exupéry

18 décembre

Qu'il faut donc aimer quelqu'un pour le préférer à son absence!

- Edmond Rostand

19 décembre

Ce sont mes amis qui m'ont fait aimer la vie. Ils me rendent meilleur à mesure que je les trouve meilleurs eux-mêmes.

- Jacques Chardonne

20 décembre

Il y a plusieurs
façons d'être en amour.
C'est ce qui rend
l'amour si fascinant.

- Jean O'Neil

21 décembre

*Tout ce qu'on
ne comprend pas
se résout avec
l'amour.*

\- Clarice Lispector

22 décembre

L'amour
sera toujours
au-dessus de
la morale et
des lois.

- Andrée Maillet

23 décembre

Il vaut mieux
aimer qu'être aimé;
d'abord, on choisit.

- Diane De Beausacq

24 décembre

Non, être
aimé ne donne
pas le bonheur.
Mais aimer, ça c'est
le bonheur!

- Hermann Hesse

25 décembre

La prière
et l'amour
ont les mêmes
secrets.

- Jean Cocteau

26 décembre

L'amour est
un grand maître,
il instruit tout
d'un coup.

- Pierre Corneille

27 décembre

L'amour
se découvre
dans l'acte
d'aimer.

- Paulo Coelho

28 décembre

Et là où
l'amour n'existe pas,
la raison, elle aussi,
est absente.

- Dostoïevski

29 décembre

Le plus grand péché
est sans doute de refuser
l'amour quand il vient
dans une vie, malgré
le mal qu'il fait.

- Henri Gougaud

30 décembre

C'est par un amour surhumain qu'on dépasse sa nature.

\- Jacques Ferron

31 décembre

Chaque pomme
est une fleur
qui a connu
l'amour.

- Félix Leclerc